S0-BHZ-099

Materiales

ede
EDILUPA

Primera Edición: 2007
ISBN: 978-84-96609-07-5
Título original: *Materials*
Edición original: © Kingfisher Publications Plc
Maquetación: TXT Servicios editoriales – Avelino González González

Agradecimientos
La editorial quisiera agradecer a aquellos que permitieron la reproducción de las imágenes. Se han tomado todos los cuidados para contactar con los propietarios de los derechos de las mismas. Sin embargo, si hubiese habido una omisión o fallo la editorial se disculpa de antemano y se compromete, si es informada, a hacer las correcciones pertinentes en una siguiente edición.

Photographs: *cover* Daniel Pangbourne; 1 Getty Imagebank; 2–3 Alamy/Creatas; 4–5 Alamy/Greg Wright; 6–7 Getty Taxi; 8*bl* Corbis; 9*cl* Getty Photodisc; 9*tr* Getty Imagebank; 9*br* Getty Imagebank; 10*l* Getty Rubberball; 10–11 Getty Stone; 11*tr* Getty Brand X; 12*bl* Science Photo Library/Colin Cuthbert; 12*r* Alamy/Denis Hallinan; 13*t* Getty Stone; 13*b* Alamy/Sally Greenhill; 14–15 Corbis/Ron Watts; 14*b* Corbis/Lester Lefkowitz; 15*b* Getty Imagebank; 16*c* Corbis/Gary Braasch; 16*b* Getty Imagebank; 17 Corbis/Thomas Hartwell; 18*b* Corbis/David Samuel Robbins; 19*t* Photonica; 19*br* Alamy/Panorama Stock; 20–21 Getty Imagebank; 20*b* Getty Lonely Planet; 21*tl* Getty Brand X; 21*br* Rex Features; 22*b* Corbis/James Marshall; 23*t* Getty Photodisc; 23*b* NASA; 24 Corbis/Joel W. Rogers; 25*t* Getty Imagebank; 25*bl* Getty Brand X; 26 Getty Stone; 27*tl* Alamy/Troy and Mary Parlee; 27*br* Rex Features; 28*cr* Getty Stone; 28*bl* Corbis/Owen Franken; 29*tl* Alamy; 29*b* Corbis/Charles O'Rear; 30*c* Corbis/David H. Seawell; 30–31*b* Corbis/Patrik Giardino; 31*tr* Corbis; 31*br* Alamy/D. Hurst; 32–33*t* Corbis/Richard Hamilton Smith; 32*bl* Getty Imagebank; 32*br* Corbis/Wolfgang Kaehler; 33*l* Getty Imagebank; 33*br* Corbis/Ariel Skelley; 34*bl* Science Photo Library/Paul Whitehill; 34*c* Science Photo Library/Eye of Science; 35*tl* Corbis; 35*b* Corbis/Jim Cummins; 36*bl* Science Photo Library/Geoff Tompkinson; 37*tl* Corbis; 38 Getty Imagebank; 38*b* Corbis; 39*tl* Alamy/Dex Image; 39 Corbis/Ariel Skelley; 40*b* Getty Imagebank; 40*r* Getty Imagebank; 41*tl* Alamy/James Frank; 41*r* Getty Imagebank; 48 Alamy/Tim Brightmore

Coordinador del proyecto: Carron Brown
Fotografía por encargo de las páginas 42-47 por Andy Crawford.
Agradecimiento a los modelos Hayley Sapsford, Cameron Green y Joley Theodoulou

Materiales

Clive Gifford

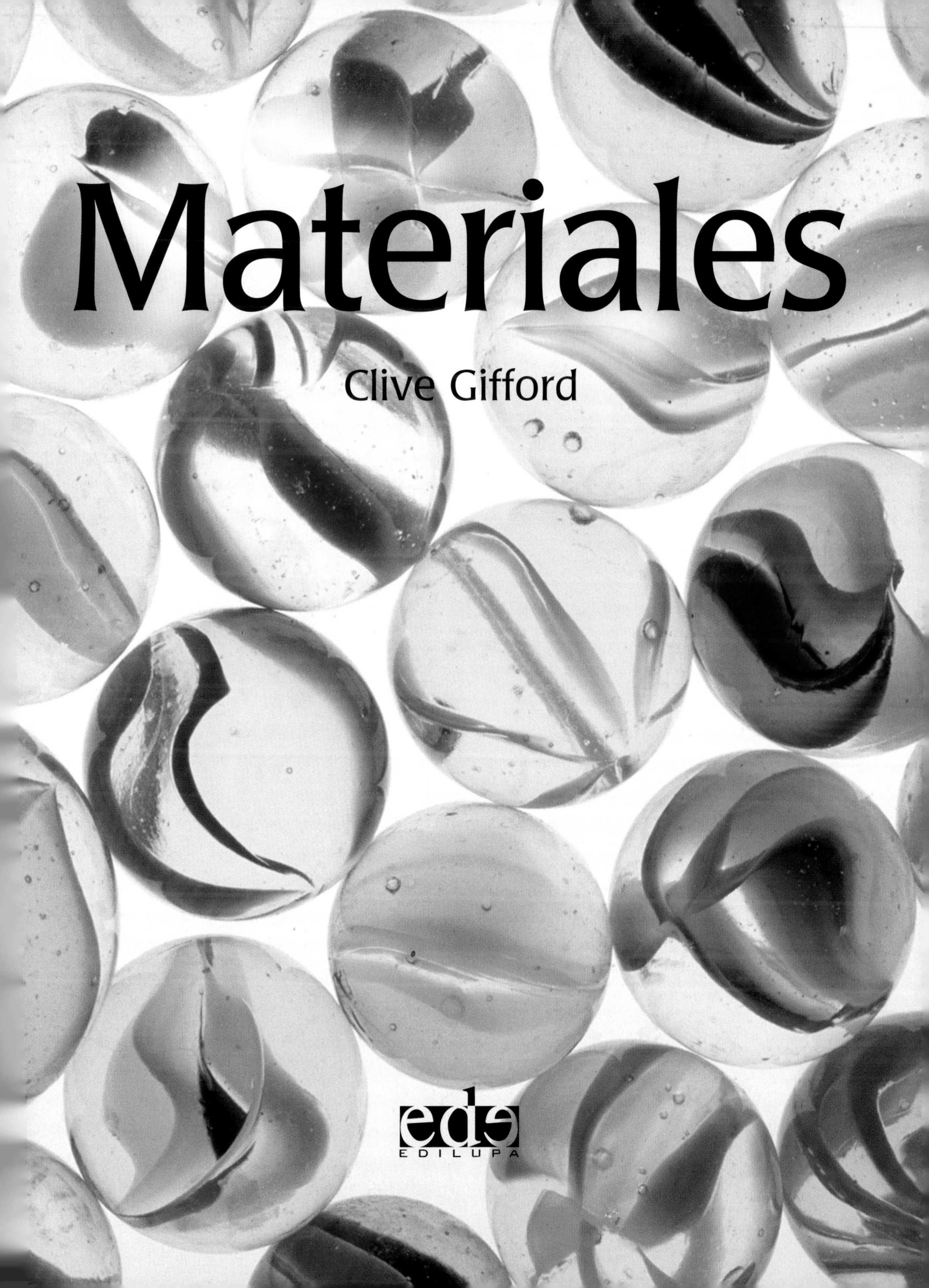

EDILUPA

Contenido

¿Qué es un material?

Los materiales son los objetos que forman nuestro mundo. Algunos materiales, como las rocas, son naturales. Otros, como el plástico y el vidrio, los fabrica el ser humano.

Uso de los materiales

En todas partes encontramos materiales. En esta imagen se ven muchos tipos: pintura, botellas de plástico y rodillos para pintar, todos ellos son productos fabricados. Hay también tablas de madera, papel y ropa de algodón, que son materiales naturales.

fabricado – *hecho por personas*

Líquidos y sólidos

Los líquidos se adaptan a la forma del recipiente que los contenga; los sólidos tienen una forma fija. El calor hace que algunos sólidos se conviertan en líquidos.

Zapatos a la medida
El hierro se calienta para ablandarlo y poder hacer las herraduras.

Oro líquido
Cuando el oro se funde se hace líquido y puede dársele forma.

Chocolate caliente helado

Un helado se puede bañar en chocolate caliente diluido. Al enfriarse, el chocolate se endurece y se convierte en una sabrosa envoltura.

A la luz de las velas

La llama funde la cera y hace que se escurra por la vela. Cuando se enfría, la cera se solidifica.

Polos derretidos

Cuando hace calor hay que comer rápido los polos, antes de que se derritan. Esto es así porque el hielo se derrite con el calor del sol.

***solidificar** – volverse sólido un líquido*

Flotar y hundirse

Algunos materiales son muy ligeros y pueden flotar en el agua o en el aire. Otros, como las piedras, son muy pesados y se hunden.

Hacia arriba
El helio es un gas más ligero que el aire. Los globos se llenan de helio para que floten en el aire y tiendan a subir.

aire *– mezcla de gases que respiramos*

Hundirse como una piedra

Muchos materiales, como las piedras, son muy pesados y no flotan en el agua. Esto quiere decir que se van al fondo si se los lanza a un río o al mar.

Flotar es divertido

La balsa y los salvavidas de estos niños son de goma. Inflados con aire flotan en el agua. Así pueden jugar en el mar ¡y también mantenerse seguros y a salvo!

gas – *sustancia sin forma, como el aire, que no es sólida ni líquida*

Elástico y flexible

Si estiras o doblas ciertos materiales, recuperan su forma normal en cuanto los sueltas. Otros materiales conservan la forma que les das.

¡Boing! ¡Boing!

Los muelles son alambres en espiral que vuelven a su forma normal después de aplastarlos o presionarlos. Por eso subes y bajas si saltas con un aparato como este.

flexible *– que se dobla con facilidad*

Altos vuelos

Las pértigas son muy flexibles y pueden curvarse mucho. Ayudan a los atletas a realizar saltos muy altos.

Gomas para el pelo

Las gomas para el pelo son elásticas. Se estiran para sujetar el pelo y luego vuelven a su forma normal y mantienen la cola de caballo en su lugar.

elástico *– estirable*

Mundo de piedra

Las rocas forman la corteza de la tierra. Son muy antiguas; algunas tienen 4.000 millones de años. Algunas rocas, como el yeso, son blandas y se deshacen; otras, como el granito, son duras y firmes.

Piedras calientes

La lava sale del interior de la tierra y es roca derretida que se endurece al enfriarse.

corteza terrestre *– superficie del planeta en que vivimos*

Capa sobre capa

Las capas de roca se llaman *estratos*. Estas capas se van retorciendo a lo largo de millones de años como la arenisca de esta imagen.

Desgaste y rotura

El frío, el calor, el agua y el viento desgastan la roca poco a poco. Con el tiempo se forman figuras sorprendentes como estas.

Bloques para construir

La piedra es un material muy útil por su dureza, firmeza y duración. Se puede moler o usar en bloques para construir edificios, caminos y estatuas.

Mina de mármol

La roca se saca de canteras como esta mina, de la que se extrae el mármol, que es una roca dura usada para hacer edificios, suelos, estatuas, etc.

Grandes bloques

Durante siglos, las rocas se han usado para construir murallas, como esta antigua fortificación de Perú.

mina *– excavación en la tierra*

Joyas resplandecientes

Todas las piedras provienen de minerales. Algunos minerales forman bellas y preciosas gemas, como estos rubíes y diamantes.

La vida en el pasado

Las piedras se pueden esculpir y durar mucho tiempo. La Gran Esfinge, en Egipto, se construyó con piedra caliza hace unos 4.500 años.

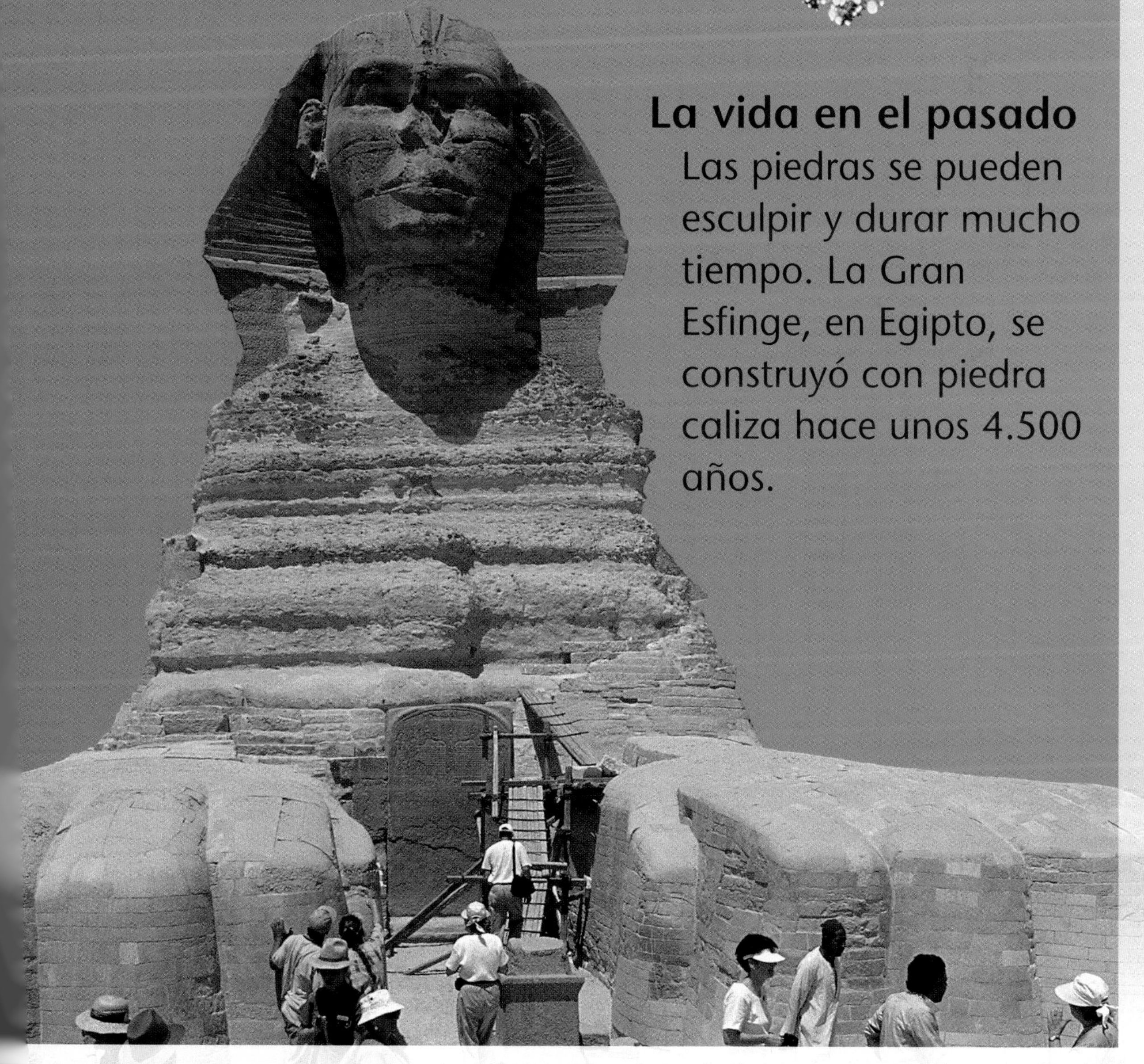

***minerales** – sustancias naturales de la superficie de la tierra que forman rocas*

Arcilla y cerámica

La arcilla y la cerámica son materiales blandos, que se extraen del suelo y se pueden moldear fácilmente. Al calentarlos, se secan y se endurecen.

Vueltas y más vueltas

La arcilla se moldea en tornos de alfarero como el de la foto. A veces los objetos se secan y endurecen al sol; otras veces se cuecen en hornos.

cocer *– hornear a muy alta temperatura*

Piscinas perfectas

Las arcillas y las cerámicas se usan para hacer ladrillos y azulejos. Estos forman una superficie tersa, impermeable, perfecta para recubrir piscinas.

Pinturas delicadas

Los objetos de arcilla se pueden pintar con esmaltes brillantes que los impermeabilizan.

Usos del vidrio

El vidrio se hace de una mezcla de arena de sílice y carbonato de sodio, calentada a altas temperaturas. El vidrio se moldea en caliente. Por ejemplo, se pueden obtener láminas de vidrio prensándolo o hacer botellas soplándolo.

Canicas

Algunos tipos de vidrio son muy finos y frágiles, pero otros son gruesos y fuertes, excelentes para hacer canicas.

En tarros

Muchos alimentos que contienen líquidos, como las conservas, se guardan en frascos de vidrio porque son impermeables y herméticos.

hermético *– cerrado al vacío*

Un vaso de leche

El vidrio puede ser de colores o transparente. La mayoría de los vasos son transparentes, para que veas lo que estás tomando.

Sopla y resopla

Hay objetos de vidrio que se pueden hacer soplando. Se pone una gota de vidrio líquido en la punta de un tubo para inflarla como una pompa. Al enfriarse, el vidrio se endurece.

inflar – *llenar con gas*

Metales poderosos

Los metales son materiales relucientes que se hallan en las rocas. Algunos son duros y resistentes, otros son blandos y frágiles. Como se pueden cortar y doblar, se usan para hacer diversos objetos.

Sentir el calor

Los cacharros de cocina pueden ser de distintos metales como, por ejemplo, el cobre. El calor se transmite por el metal y cocina los alimentos.

***valioso** – de mucho valor*

Oro reluciente

Los metales preciosos, como el oro, son muy valiosos. Con ellos se puede elaborar joyería o hacer lingotes, que valen mucho dinero.

Viajero ligero

En el año 2004, dos robots aterrizaron en Marte. Las piezas de los robots eran de metales muy ligeros, lo que les facilitó el viaje a Marte.

ligero – *que no pesa mucho*

Mezclar metales

Se pueden mezclar dos o más metales, o un metal y un no metal, para obtener nuevos materiales llamados *aleaciones*, que pueden ser muy útiles por ser más ligeras, fuertes y duraderas.

Aguja Espacial

La torre *Aguja Espacial* se eleva sobre la ciudad de Seattle. Está hecha de acero, la aleación más común del mundo, que se usa para fabricar distintos objetos, desde cubiertos hasta automóviles.

cubiertos – *cuchillos, tenedores y cucharas*

No valen su peso en oro

Antiguamente, las monedas eran de metales preciosos, como el oro y la plata. Ahora se hacen con metales mucho menos caros, a menudo aleaciones.

Latón

El latón se elabora con una mezcla de zinc y cobre. Es firme y duro pero muy moldeable. Infinidad de instrumentos musicales están hechos de latón.

Maravillosa **madera**

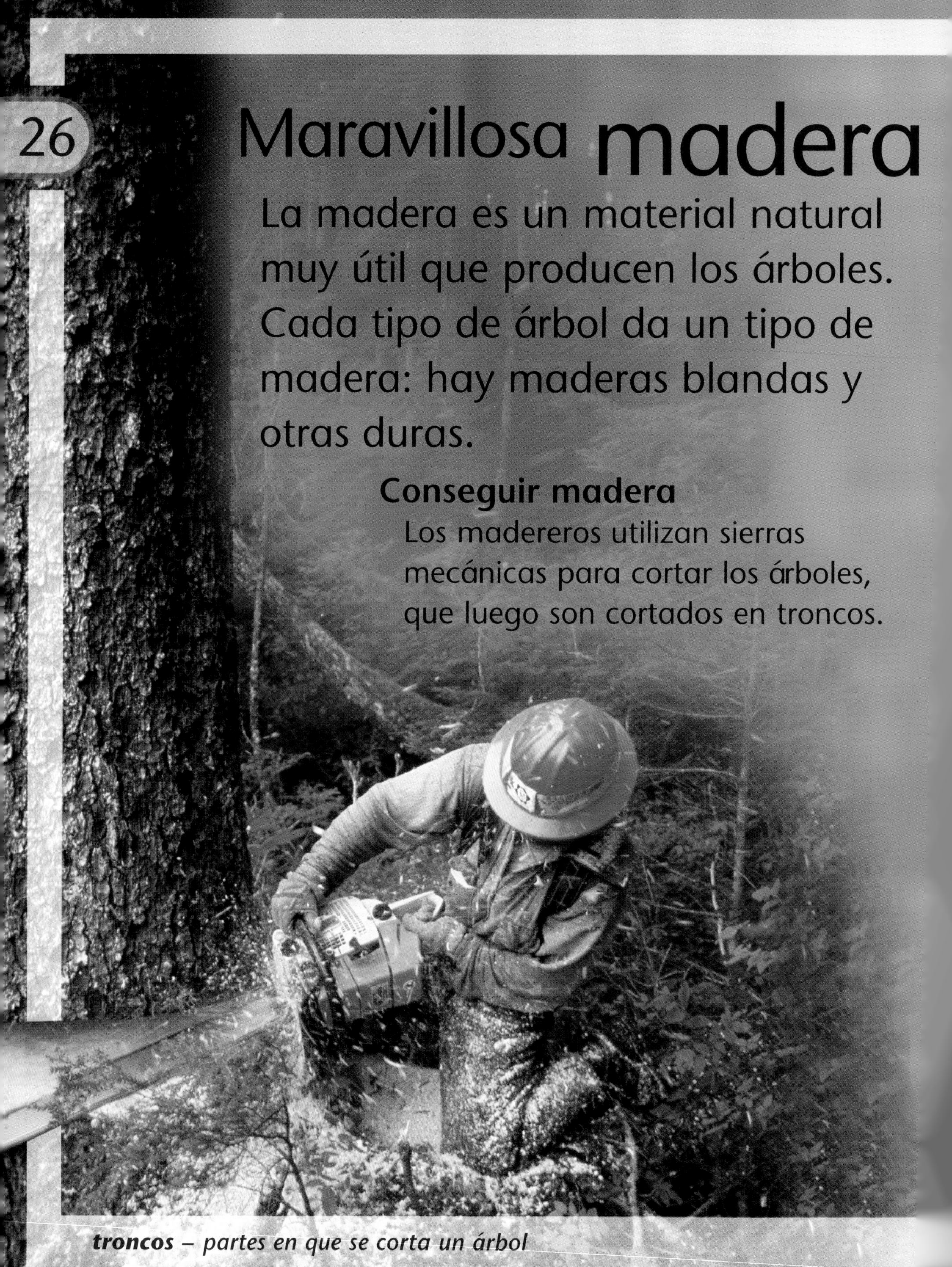

La madera es un material natural muy útil que producen los árboles. Cada tipo de árbol da un tipo de madera: hay maderas blandas y otras duras.

Conseguir madera

Los madereros utilizan sierras mecánicas para cortar los árboles, que luego son cortados en troncos.

troncos *– partes en que se corta un árbol*

Al aserradero

Los troncos se transportan en camiones o flotando río abajo, hasta los aserraderos. Ahí se cortan en tablones de diferentes tamaños y grosores y se preparan para su uso.

Suelo blando

Los sobrantes de madera se pueden cortar en pedacitos o virutas. Son muy suaves y se pueden esparcir en áreas de juego.

Trabajar con madera

Los trabajos de madera han sido un gran negocio y pasatiempo durante miles de años. En nuestros días aún se usa la madera para hacer muchos objetos, incluso edificios, barcos y muebles.

Tallado fino

Con las herramientas adecuadas es fácil cortar y labrar la madera. Este artesano talla una pieza con un formón.

Diversión familiar

Casi todos los tipos de madera flotan en el agua, por lo que es muy útil para hacer barcas, lanchas y barcos.

negocio *– trabajo, ocupación*

Lápices de madera

Los lápices de colores se hacen con una barra larga de madera pintada de vivos colores. Generalmente se usa el cedro, ya que es una madera fuerte.

Cabañas

Estas cabañas de playa están pintadas de colores porque la pintura protege la madera contra la humedad. Si permanece húmeda, la madera se echa a perder.

El propósito del papel

El papel es un material muy ligero, se puede doblar y plegar fácilmente y tiene usos muy diversos. Generalmente lo usamos para escribir o para imprimir en él.

Fabricar papel

Gran parte del papel se hace en rollos en las fábricas. Se produce con trozos de madera, pero puede hacerse también con papel viejo o telas.

fabricar *– hacer*

Escribir en papel

Hay muchos tipos de papel para escritura. Por ejemplo, el de folio es muy fino, pero el de las tarjetas de felicitación es rígido. Todos ellos tienen la superficie suave para poder escribir.

Papel de periódico

El papel que se usa para imprimir los periódicos se hace con residuos de madera, y es fino y barato de producir.

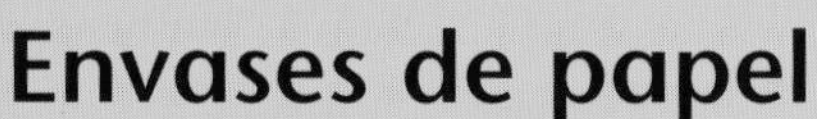

Envases de papel

Los envases de leche y zumos son de papel y están recubiertos por una capa de plástico que los hace impermeables. Otros papeles, como las servilletas de cocina, absorben líquidos.

Tejidos naturales

Las telas se hacen de hilos largos, llamados *hebras*, entrelazados. Muchos hilos proceden de plantas y animales.

niñas con kimonos

Suave como la seda

La seda es una suave fibra que se hace con el hilo del capullo del gusano de seda. Para hacer un kimono se necesitan 3.000 capullos.

gusano de seda *– tipo de oruga*

Capullos de algodón

El algodón es una planta con capullos grandes y esponjosos, llamados *cápsulas*. Se cosecha en los campos y se lava para luego obtener hilos.

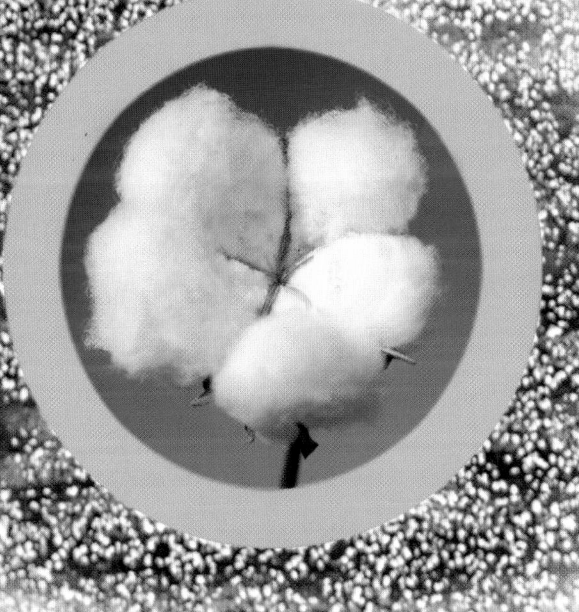

Lana caliente

La lana se obtiene del pelo de ovejas y otros animales, como cabras y camellos, para tejer prendas de abrigo y mantas.

capullo *– envoltura de un insecto hecha con hilos de seda*

Tejidos sintéticos

Algunos tejidos no son naturales, pero se pueden producir a partir de materias primas naturales, como el carbón. Se conocen como *tejidos sintéticos.*

Velcro

El velcro está formado por dos cintas, una de diminutos ganchos y otra de rizos. La primera engancha a la segunda cuando se unen las cintas.

materia prima *– la que se usa para hacer otros materia*

Volando alto

El nailon es una tela ligera y resistente. Con ella no sólo se hace ropa, sino cuerdas, redes de pesca e incluso paracaídas.

Tejidos del deporte

Los tejidos sintéticos se usan mucho para hacer ropa deportiva. Los pantalones y la ropa que lleva este niño están hechos de telas sintéticas y ligeras.

Fabricar plástico

Todos los plásticos son fabricados por el hombre. Se obtienen de otras sustancias, sobre todo del petróleo.

Pingüinos de plástico

Cuando el plástico se calienta se puede moldear, estirar o echar en moldes para hacer objetos como estos pingüinos de juguete.

Envases

Para hacer una botella, se coloca el plástico caliente en un molde. Se sopla aire con una máquina, para dar presión al plástico que al enfriarse forma la botella.

petróleo – *líquido graso*

Perfectos para la comida

El poliestireno es una espuma plástica. Se hace soplando burbujas de aire en plástico caliente. Es ligero y conserva calientes los alimentos.

moldes *– contenedores huecos con formas hechas*

Rodeados de plásticos

El plástico se usa para hacer todo tipo de objetos –muebles, pinturas, juguetes, etc. El problema del plástico es que no se degrada fácilmente, por eso debemos reciclarlo y reutilizarlo para reducir los desperdicios (ver página 40).

Ladrillos de plásticos
Este divertido juguete hecho de plástico es muy resistente, fácil de limpiar y muy barato de fabricar.

Días de playa

Se pueden hacer cosas de plástico muy ligeras. Las pelotas de playa, los balones y las piscinas inflables son de plástico y se pueden llenar de aire.

Cantando bajo la lluvia

Las láminas de plástico se pueden cortar y pegar o coser para fabricar prendas de plástico de vivos colores y a prueba de agua; es excelente para hacer impermeables, botas y sombreros.

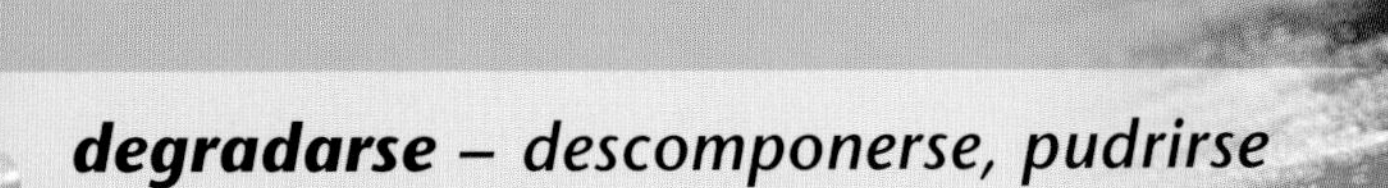

degradarse *– descomponerse, pudrirse*

Listo para reciclar

Muchos materiales ya utilizados se pueden reciclar y convertir en materiales nuevos. Así se reduce la cantidad de desperdicios.

símbolo del reciclado

Reciclar en casa

Hay muchos materiales reciclables, por ejemplo el vidrio, el plástico y el papel. Esta familia está separando la basura. Cada material va en contenedores diferentes.

Envases y ropas

Muchas prendas de vestir están hechas de envases de plástico, que se desmenuzan hasta hacerlos hilos. Con 25 botellas se hace un forro polar.

Columpios

Algunos artículos se pueden reutilizar, en lugar de reciclarse. A este viejo neumático se le da un nuevo uso.

***desmenuzar** – cortar algo en piezas muy pequeñas*

Regatas

Con este simpático y divertido proyecto, verás cómo un material flota y otro se hunde.

Materiales

- Plastilina
- Dos piedras
- Dos lápices
- Dos trozos de cartulina, como banderines, decorados a tu gusto
- Pegamento
- Un recipiente amplio
- Agua
- Tijeras
- Un vaso de plástico
- Una pajita de 10 cm
- Rectángulo de papel coloreado, de 6 x 6 cm

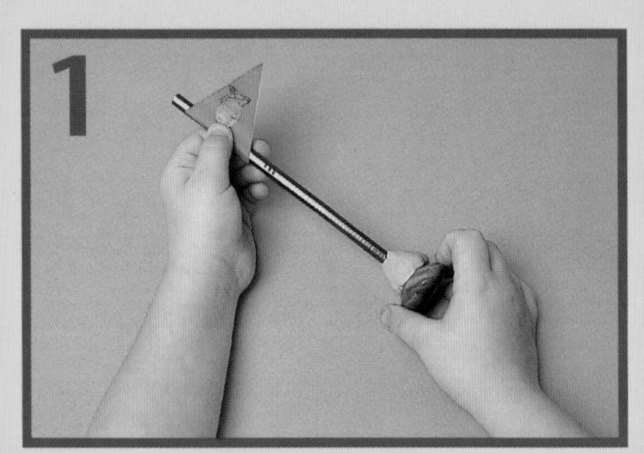

Pega la plastilina sobre una piedra y pon un lápiz en la punta. Pega la cartulina a modo de banderín en la punta del lápiz. Repite este paso con el otro lápiz.

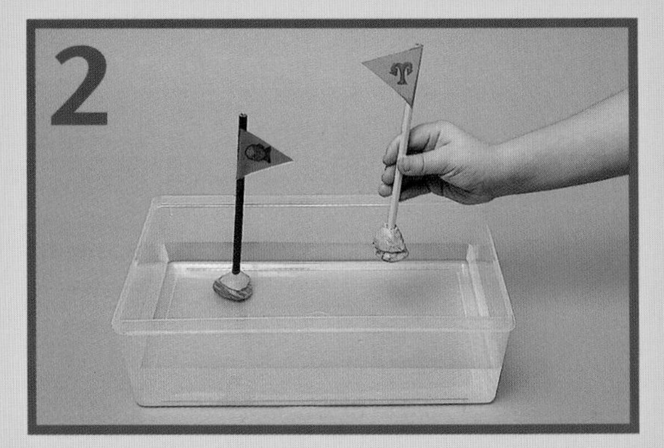

Llena el recipiente con agua hasta la mitad y pon las pajitas en medio a 10 cm una de otra. Las pajitas deben sobresalir del agua.

Para hacer un barco, corta el fondo del vaso de plástico a 2,5 cm del fondo. Pega plastilina por dentro de la base.

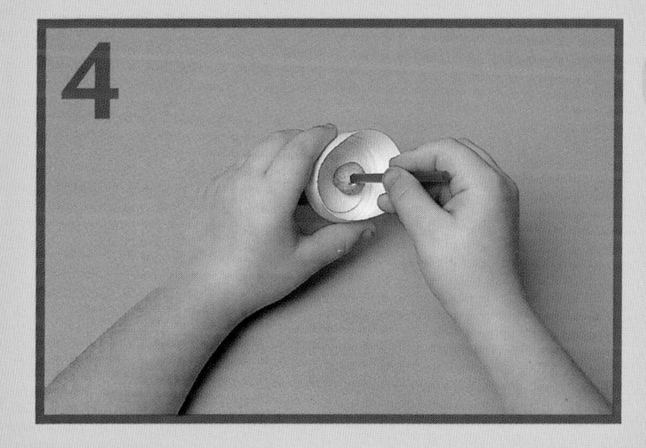

Para hacer el mástil, pon una pajita en la plastilina para que se sostenga vertical en el centro del vaso.

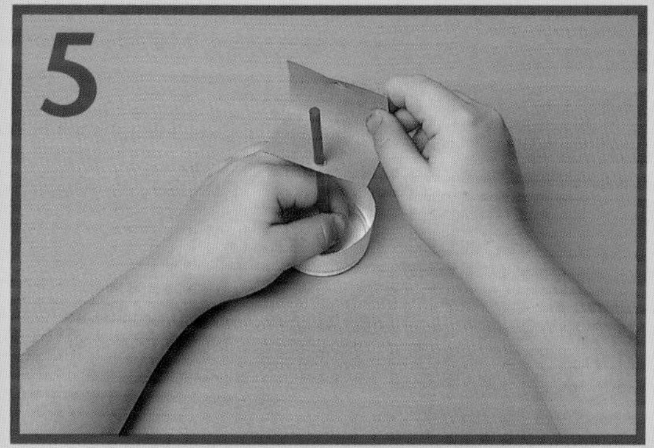

Con las tijeras, perfora el papel haciendo un agujero arriba y otro abajo. Pasa la pajita por el papel a través de los dos agujeros. ¡Ya tienes un velero que flotará!

Pon tu barco en la línea de salida y sopla para que vaya alrededor de los postes.
Juega en turnos con un amigo y haz que tu barco navegue por la ruta marcada.

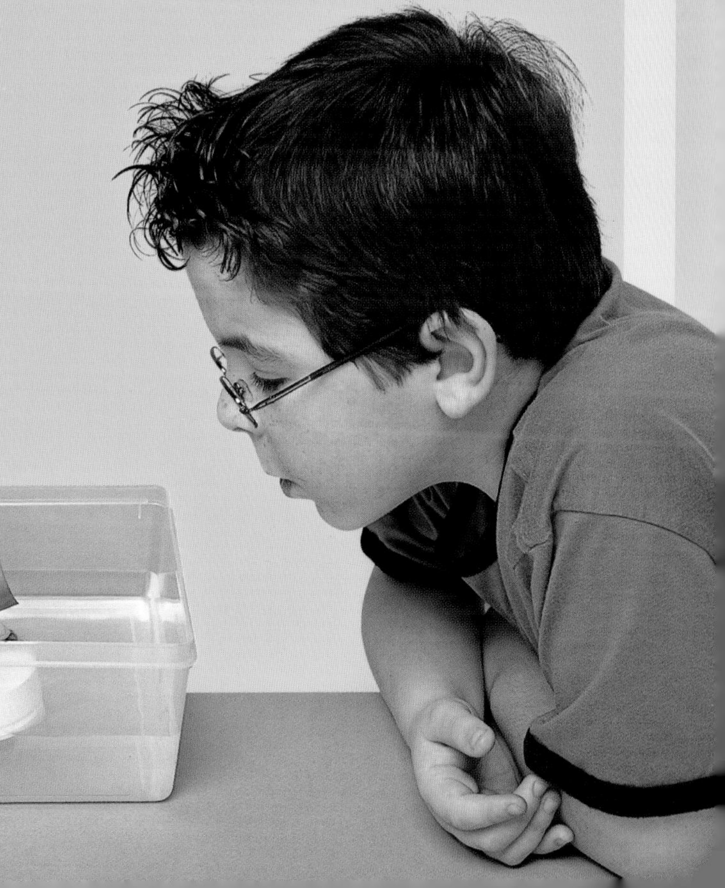

Cabeza de globo

Verás cuántos materiales puedes usar para hacer una cabeza.

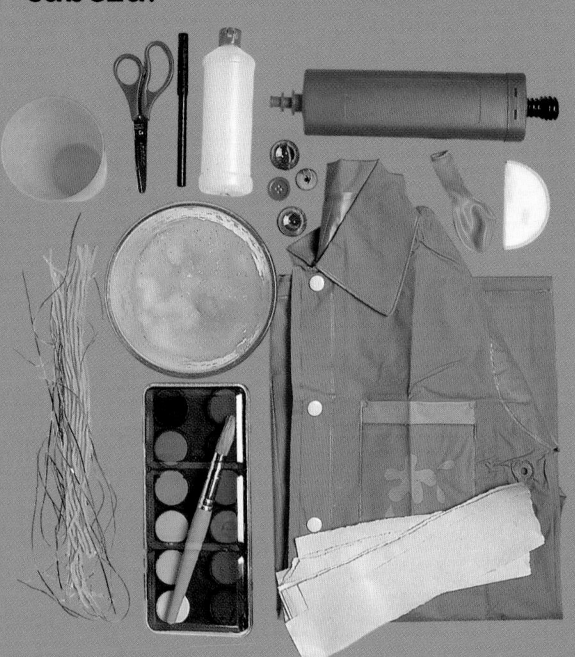

Materiales

- Periódico
- Ropas (opcional)
- Un globo
- Bomba para inflar (opcional)
- Vaso ancho
- Tiras de papel
- Témperas
- Pinceles
- Recipiente con cola
- Pegamento
- Botones de colores
- Hebras de lana
- Rotulador

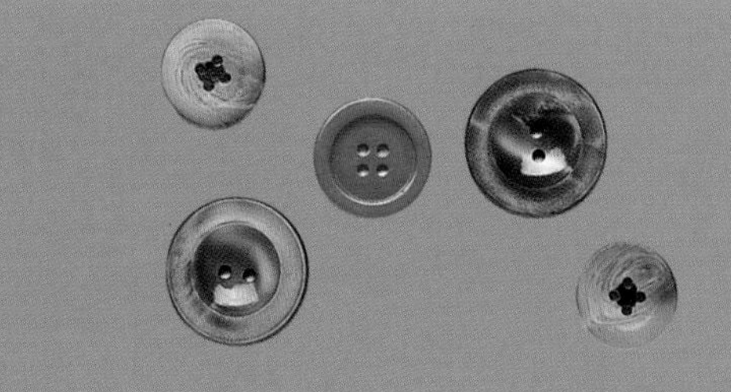

1

Cubre con papel el área de trabajo. Infla el globo, átalo y ponlo en el vaso, como se ve en la foto.

2

Toma una tira de papel, cúbrela con cola y pégala al globo. Cubre así todo el globo. Deja que se seque.

Repite el paso 2 hasta que tu globo quede cubierto con cuatro capas de papel. Deja que se seque durante 24 horas.

Ahora pinta la cabeza del globo del color de la piel –marrón, rosa o blanco. Asegúrate de cubrirla entera. Deja que se seque la pintura.

Decora la cabeza con hebras de la lana o plateadas para el pelo, y con los botones hazle ojos y nariz. Pinta la boca con un rotulador. Usa otros materiales, como pelo de papel, para otras cabezas.

Aperitivo de chocolate

Un proyecto muy sabroso

Descubre cómo el chocolate cambia de sólido a líquido y, de nuevo, de líquido a sólido.

Materiales

- Horno microondas
- Tazón
- 1 tableta grande (150 gr) de chocolate
- Cuchara sopera
- 70 gr de cereales
- Cucharita
- Moldes de pasteles
- Plato
- Recipiente hermético

1

Parte en pedazos el chocolate y ponlo en el tazón. Programa el horno a 90 grados durante 15 segundos.

2

Pide a un adulto que saque el tazón del horno. Revuelve bien el chocolate. Si no está aún fundido, caliéntalo otros 15 segundos.

¡Cuidado! El chocolate caliente puede quemar. Pide ayuda a un adulto.

Espolvorea los cereales sobre el chocolate. Remueve la mezcla hasta que queden bien cubiertos de chocolate.

Pon una cucharada de la mezcla en cada molde de pasteles y ponlos a enfriar en un plato durante una hora. Gasta toda la mezcla.

Una vez fríos y duros, pastelitos de chocolate están listos para guardarse en un recipiente hermético...

¡...o comer de inmediato!

Índice